Dedicado a Lao Tse

PLA-ZA. Calle Osca, 4
50197 Zaragoza (Spain)
www.imaginarium.es
Depósito Legal: Z-3793-2011
I.S.B.N.: 978-84-9780-821-7
PID: 58006 Impreso en la CEE

El mundo de VAM·BOO

Lluïsot

A VAM·BOO le gusta mucho su mundo. Cada mañana, después de desayunar unas tiernas hojas de bambú, sale a pasear.
No deja nunca de sorprenderse de todas las maravillas que encuentra por el camino. Le basta con prestar atención a todo lo que le rodea para sentirse feliz.

En el mundo de VAM·BOO todo tiene su particular belleza.
Hay majestuosas montañas, el agua se precipita por acantilados formando cascadas, los ríos están llenos de peces y en los bosques crecen gran variedad de árboles…

El mundo de VAM·BOO puede parecer muy grande o muy pequeño. Todo depende del tamaño que uno tenga… Hay animalitos tan diminutos que casi ni se ven. Son los que componen la música del bosque con sus zumbidos.

Existen otros animales que
son un poco más grandes.
Corretean arriba y abajo,
siempre con ganas de jugar.

Sin embargo, también se encuentran
animales mucho más grandes.
¡Demasiado grandes para VAM·BOO!

Y por el aire, los pájaros aletean sus plumas de colores.
Parece que en el cielo haya fuegos artificiales.

Cada año llegan, puntuales,
las estaciones:
La primavera se engalana de flores.
Todas presumidas y perfumaditas,
como si quisieran ir de fiesta.

Después viene el verano.
Cuando aprieta el calor,
nada mejor que un buen
baño en el mar, para
jugar con las olas.

En el otoño, los árboles tiñen sus hojas de vivos colores y las lanzan al viento como confetis.

¡Brrrrrrr! ¡Qué frío! El invierno lo va cubriendo todo con su manto blanco de nieve.

El paseo de VAM·BOO va llegando a su fin.
El sol tiene sueño y se retira a descansar tras
el horizonte, pintando el cielo de mil colores.

¡¡¡Qué gran artista es el sol!!!

Ha sido un día repleto de sorpresas.
VAM·BOO contempla la luna, que con
su tenue luz tiñe de plata todo su mundo.

Tras su paseo diario. VAM·BOO mira las estrellas pensativo y se pregunta: ¿Existirá en el cielo otro mundo tan bonito como el mío?

Mientras, a millones de años luz, en un lejano planeta, BLOB-BLOB el extraterrestre, contempla las tres lunas tras su paseo diario.
Mira las estrellas del firmamento y se pregunta:
¿Existirá en el universo otro planeta tan bonito como el mío?